leicht & logisch
Lektüren für Jugendliche

**A1**

# Die Sommerferien

von Paul Rusch

*Laura Curbelo Romero*

**Klett-Langenscheidt**

München

von Paul Rusch

Redaktion: Annerose Bergmann
Zeichnungen: Anette Kannenberg
Layout und Satz: Kommunikation + Design Andrea Pfeifer, München
Umschlag: Bettina Lindenberg

Quellen:
S. 6 Handy: shutterstock.com; S. 7 Karte: Kaarsten – shutterstock.com,
Wettersymbole: Thomas Amby – shutterstock.com; S. 21 Rom: Helen
Schmitz; S. 39 Sylt: Philipp Baer – Fotolia.com; S. 43 Bodensee: Matthias
Lohse – pixelio.de; S. 47 Frankfurt: Sarah C. – pixelio.de

Audio-CD:
Sprecher und Sprecherinnen: Detlef Kügow, Mario Geiß, Benedikt Halbritter,
Benno Kilimann, Jenny Perryman, Talia Perryman, Carolin Seibold
Regie und Postproduktion: Christoph Tampe
Studio: Plan 1, München

---

**Weitere Lektüren in der Reihe „leicht & logisch":**

| | | |
|---|---|---|
| Einmal Freunde, immer Freunde | A1 | 605113 |
| Neu in der Stadt | A1 | 605114 |
| Drei ist einer zu viel | A1 | 605115 |
| Neue Freunde | A2 | 605116 |
| Frisch gestrichen | A2 | 605117 |
| Kolja und die Liebe | A2 | 605118 |
| Hier kommt Paul | A2 | 605119 |

---

www.klett-sprachen.de

1. Auflage  1 ⁷ ⁶ ⁵ ⁴ I 2018 17 16 15

© Klett-Langenscheidt GmbH, München, 2013

Druck und Bindung: Medienhaus Plump GmbH, Rheinbreitbach

ISBN 978-3-12-605112-5

9 783126 051125

# INHALT

## DIE FREUNDE

Nadja, Pia, Kolja und Paul gehen in die Schule in Glücksdorf. Sie sind in der gleichen Klasse.

luKyvillage

Kolja hat drei Geschwister. Er kann gut Dinge reparieren.

Nadja ist die beste Freundin von Pia. Und sie hat einen Freund: Robbie.

dorf: village

**Paul** wohnt in Großdorf. Er hat Probleme in der Schule, aber Pia hilft ihm.

**Pia** interessiert sich für alles. Und sie hat einen Hund, Plato. Plato liebt Wurst.

salchichas

**Robbie** ist schon ein bisschen älter. Er liebt Musik, spielt Gitarre und hat eine Band. Und er ist Nadjas Freund.

# 1

## An der Nordsee, auf Sylt

Robbie ist sauer. Er arbeitet im Supermarkt – acht Stunden pro Tag. Heute
war Beginn um 7.30 Uhr morgens! Und
mittags war es heiß, sehr heiß, 32 Grad.
Und jetzt ist es vier Uhr, Robbie hat endlich frei. Und dann das: Kein Schwimmbad mit Freunden, denn es regnet. Und
wie! Robbie fährt mit dem Fahrrad nach
Hause.

Da klingelt das Handy, eine SMS von Nadja. Robbie liest:

Armer[1] Robbie!
Sonne, Sand, Sylt. Es ist
wunderbar! Und du musst im
Supermarkt arbeiten. Du tust mir
echt leid. hdgdl naddi <3

der Strandkorb

Und dann ist auch noch
dieses Foto von Nadja
im Strandkorb dabei.

der Sand

---

1  armer Robbie: Er muss arbeiten und hat keine Ferien. Er tut Nadja leid.

Nadja ist Robbies Freundin. Sie macht mit ihren Eltern Urlaub auf Sylt.

„Was schreibe ich Nadja zurück?", denkt er. „Macht sie Witze? Das Wetter auf Sylt ist ja sehr oft nicht so toll. Aber vielleicht hat sie Glück. Es kann ja auch total schön sein. Heute Mittag war es hier ja auch noch heiß", denkt Robbie.

Zu Hause muss er erst einmal warm duschen. Er zieht andere Sachen an, dann liest er die SMS noch einmal. Robbie geht zum Computer und surft im Internet. Er sucht:

Wie bitte? Was ist denn das?

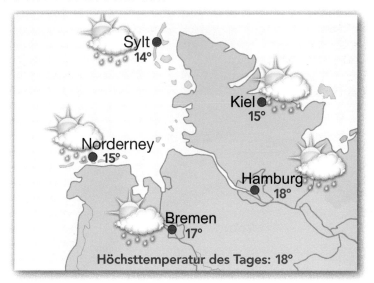

Robbie möchte Nadja gern eine Mail schreiben, aber Nadja ist in den Ferien nicht online. Also nur kurz eine SMS:

> naddi, warum schreibst du, es ist
> wunderbar mit sonne? das wetter ist
> doch schlecht auf sylt. kalt, regen, nur
> 14 grad. warum machst du das? das
> musst du mir sagen!!! nur noch 3 tage,
> dann bist du wieder da. ich freu'[2] mich,
> biba robbie

„Düddeldidum." Zwei Minuten später klingelt Robbies Handy.
Nadja ruft an:

○ Hi Robbie, es tut mir ja so leid. Du weißt ja, ich möchte so
gern mal nach Spanien in den Urlaub. Aber jedes Jahr muss
ich mit Mama und Papa nach Sylt fahren, jedes Jahr! Hier ist
es total doof. Und dieses Wetter! Regen und wieder Regen.
Aber ich will schöne Ferien haben. Alle haben schöne Ferien,
nur ich nicht!

● Aber hallo, jetzt mal langsam! Wer arbeitet und fängt am
Morgen schon um halb acht an? Wer ist nach der Arbeit
total müde? Wer? Das bin ich. Was soll ich denn sagen?

○ Ja, ich weiß, es tut mir echt leid für dich, Robbie. Aber es
ist so: Papa sagt, Ferien auf Sylt sind schön, aber ich finde
es hier total langweilig. Deshalb sagt er, ich muss ja nicht
mitfahren, ich kann auch zu Hause bleiben. Und er findet,
ich darf nicht zum Campingwochenende mit euch am See
mitkommen. ‚Das ist ja dann auch langweilig', sagt er. …

Ein paar Minuten später legt Robbie auf.

---

2  sich freuen:

8

# 2
## In Schöndorf

*Sea* [handwritten annotation]

Paul möchte gern ans Meer fahren. Aber das geht nicht. „Keine Zeit", sagen die Eltern, „und kein Geld für Urlaub in diesem Jahr. Fahr doch nach Schöndorf zu Oma und Opa."

4

*die Wolke*

*der Bauernhof*

*der Stall*

*die Kirche*

*die Wiese*

Wirklich, der Ort heißt Schöndorf, aber es gibt nur zwölf Bauernhöfe, ein paar Häuser, ein Geschäft und eine Kirche, kein Kino, kein Schwimmbad, kein Café, einfach nichts. „Der Ort muss doch eigentlich Kuhdorf heißen", denkt Paul. „Da gibt es ungefähr 100 Leute, aber 500 Kühe!"

9

Oma und Opa sind ja schon nett. Paul und seine Eltern besuchen sie ein paar Mal im Jahr. Die Oma mag Paul besonders gern. Und sie kocht gute Sachen, das stimmt. Und Opa ist auch okay. Paul darf sogar mit dem Traktor fahren. Aber sonst? Nichts.

„Die Oma freut sich so", sagt Pauls Mutter, „und sie kann auch ein bisschen Hilfe brauchen."
„Warum fährst nicht du ein paar Wochen zu Oma und Opa?", fragt Paul seine Mutter. „Du sagst immer: ‚Da ist es schön.' Dann fahr doch selbst zu ihnen und hilf bei der Arbeit."
Er bekommt nur die Antwort: „Das geht nicht."

Paul nimmt seine Computerspiele und den Laptop mit. Und seine Musik. Ohne Musik kann er nicht leben! Oma hört immer Musik, deshalb ist bei ihr auch immer das Radio an. Aber was für Musik! OMG! Oma glaubt, das ist Musik, aber das kann man nicht anhören. Das klingt so … pff! Das geht gar nicht!

Pauls Eltern trinken Kaffee mit Oma und Opa und reden[3] und reden. Paul geht lieber raus zu den Tieren. Toby, der Hund, kennt Paul noch und freut sich. Paul geht mit Toby über den Hof. Alle Tiere sind noch da wie immer: Katzen, Hühner und Kühe.

---

3  reden: sprechen

Pauls Eltern sind wieder weg, da sagt Opa: „Ich muss dir noch was zeigen. Komm mit."

Paul geht mit seinem Opa hinter den Stall. Auf der Wiese stehen drei Pferde. „Seit wann habt ihr Pferde?", fragt Paul.

„Nein, die Pferde gehören[4] den Nachbarn. Aber sie haben keinen Platz. Deshalb sind sie bei uns. Und sie bekommen auch bei uns das Futter[5]."

„Und wer pflegt[6] sie?", will Paul wissen.

Opa antwortet nicht, denn zwei Mädchen kommen, sehen Paul überrascht an und grüßen: „Hallo Hans!"

„Da sind sie ja, die Pferdeschwestern", lacht Opa Hans und geht weg.

---

4  sie gehören den Nachbarn: das sind die Pferde von den Nachbarn
5  das Futter: das Essen für Tiere
6  die Pferde pflegen: die Pferde putzen und ihnen das Futter geben

„Wie gefallen dir die Pferde?", fragt eine von den beiden.

„Ähm, ja, sie sind, ähm, so groß. Gehören sie euch?", fragt Paul.

„Ja, schon, also uns allen."

„Haben sie auch Namen?", fragt Paul weiter.

„Klar doch!", ruft Opa Hans, „Jana und Marika."

Opa lacht und geht zurück zum Stall.

„Ne, ich …", will Paul erklären.

„Ich bin Jana, okay? Und du? Hast du auch einen Namen?"

Zuerst hat Paul Angst, die Pferde sind so groß. Aber Jana und Marika können gut reiten. Und Paul darf es probieren. Bald kann er auch reiten, ein bisschen.

Hey Kolja, alles klar bei dir? Bin auf dem Land bei Oma und Opa in Schöndorf. „Schön" lol Es ist ziemlich okay. Ich kann schon ein bisschen reiten. Macht Spaß! Paul

 Zwei Minuten später klingelt Pauls Handy, Kolja ist dran.

# 3

## Am Bodensee

„Hej, spielst du mit?"
Zwei Jungen und ein Mädchen spielen auf dem Beachplatz und
Kolja geht gerade vorbei. Der Beachplatz gehört zum Camping-
platz, und der liegt direkt am Bodensee.
„Ja, gern. Wer spielt zusammen?"
„Wir machen Schnick, Schnack, Schnuck!"

„Wie bitte, was ist denn das?", fragt Kolja.
„Komm, wir zeigen's ihm", sagt der eine Junge zum anderen.
Kolja sieht ihnen zu.
„Ach so, klar kenne ich das. Wir sagen Schere, Stein, Papier!"
„Also du, wie heißt du denn?", fragt Loli. So sagen seine Freunde
zu Lorenz.

„Kolja."
„Also, Kolja und Greg gegen Lea und mich!"

Kolja und Greg gewinnen ein Spiel und dann verlieren[7] sie.
„Machen wir noch ein Match, dann haben wir einen Gewinner",
ruft Greg.
„Na, klar!"
Und Lea hat gleich noch eine Idee:
„Das Eis da drüben ist super gut! Wer gewinnt, bekommt ein
Eis. Okay?"
„Okay", wiederholen die drei Jungen.
„Und hoffentlich habt ihr genug Geld dabei!", lacht Loli.

Das Eis ist wirklich super – und Kolja bekommt es sogar gratis[8].
Da schmeckt es noch viel besser.
Lea fragt ihn:
● Bist du allein da?
○ Nein, nein, mit meiner Mutter und meinen Geschwistern.
● Ist das nicht eng[9] im Zelt?
○ Nein, ich habe ein Zelt allein, nur für mich.
● Und wie lange bist du noch da?
○ Noch 12 Tage.

„Tschüss dann, ihr drei! Ich geh' schwimmen." Greg geht zum See.
„Kommst du morgen wieder? Dann gewinnen wir sicher noch
mal ein Eis", lacht Kolja.
„Vergiss es", sagen Loli und Lea im gleichen Moment.
„Wir sind klar besser. Wir hatten heute nur Pech[10]!", lacht Lea.

---

7    verlieren: nicht gewinnen
8    gratis: etwas kostet kein Geld
9    eng: klein, wenig Platz
10   Pech haben: kein Glück haben (Glück ⟷ Pech)

Am nächsten Tag geht Kolja immer wieder zum Beachplatz. Niemand da. Erst am Nachmittag sieht er Lea, aber sie hat schlechte Laune[11]:

● Ich kann keine Musik mehr hören, mein Player ist kaputt. Er ist in den Sand gefallen und jetzt geht er nicht mehr.

○ Das ist ja blöd. Ich kann ihn ja mal ansehen. Vielleicht kann ich ihn reparieren.

Lea gibt Kolja ihren Player.

● Wann bekomme ich ihn zurück?

○ Ich weiß nicht, ich muss das in meinem Zelt machen. Wo finde ich dich?

● Treffen wir uns doch hier am Beachplatz. Ruf mich einfach an: 0159 / 37 24 187.

○ Also, bis später. Aber es kann ein bisschen dauern. Moment, ich schicke dir noch meine Nummer.

---

11 schlechte Laune haben: schlecht drauf sein

# 4

## Roma amore mio

 Es ist Anfang August und sehr heiß. Keine Wolken am Himmel, nur die Sonne. Den ganzen Tag.

8

Pias Vater macht schlapp[13] und hat echt schlechte Laune.

● Wer hatte denn diese Idee? Alle Leute aus Rom sind am Meer, und wir sind in der Stadt. Total verrückt!

---

12 Das ist ja Wahnsinn: Das ist verrückt, das macht man besser nicht.
13 Er macht schlapp: Er ist müde, er kann oder will nicht mehr weitermachen.

Doch Pias Mutter findet:

○ Ach, sooooo schlecht ist es nicht. Und sieh mal, Pia freut
 sich so. Ihr macht es doch total Spaß!

● Aber mir nicht und dir doch auch nicht! Ich mache das nicht
 mehr mit. Morgen fahre ich nach Ostia ans Meer. Das ist
 sicher! Ihr könnt weiter durch die Stadt latschen[14]. Ich nicht
 mehr, nein, Schluss, basta!

○ Ja, mach das. Und wir gehen schön shoppen!

▨ Ist es nicht total schön hier? Das ist alles 2000 Jahre alt.

Pia ist begeistert[15].

● Ich fühle mich auch fast so alt! Es ist so wahnsinnig heiß!
 Morgen fahren wir ans Meer.

▨ Aber warum? Ich möchte Rom sehen, das Meer sieht doch
 immer gleich aus. Überall ist nur Sand! Aber Rom ist der
 Hammer[16]!

○ Naja, wir müssen ja nicht den ganzen Tag zusammen sein.
 Papa kann morgen ans Meer fahren und ich bleibe mit dir in
 der Stadt.

Pia ist froh, die Idee von ihrer Mutter gefällt ihr.
„Und jetzt essen wir ein Eis und Papa darf bezahlen. Dann geht
es ihm auch gleich wieder besser."
„Ja, das machen wir!"
Pias Papa ist einverstanden.

Auf dem Weg zurück ins Hotel kauft Pia
Postkarten. Im Zimmer schreibt sie an
ihre Freunde Nadja, Paul und Kolja.

---

14  latschen: gehen, aber man ist müde, es macht keinen Spaß
15  begeistert sein: etwas super finden
16  Das ist der Hammer: Das ist supergut / total toll.

# 5

# Nadja ist zurück

Robbie holt Nadja ab, sie wollen Pizza essen.
„Und, wie sind deine Ferien, Robbie?", fragt
Nadjas Vater.
„Ferien? Ich arbeite im Supermarkt."
„Du bist aber fleißig[17]. Wie lange noch?"
„Eine Woche, dann ist zum Glück Schluss! Und
dann kaufe ich eine Stratocaster."
„Wie? Keine Gitarre? Du redest doch immer
nur von deiner Gitarre", ruft Nadja.
„Aber Nadja, das ist doch eine Gitarre! Eine
Fender Stratocaster. Das ist nicht nur eine Gitarre,
das ist DIE Gitarre. Ich sehe schon", Nadjas Vater sieht Robbie
an, „du bist ein richtiger Musiker."
Robbie freut sich und lächelt[18] cool.

„Robbie, sag was!", flüstert[19]
Nadja.
„Eure Ferien auf Sylt waren ja
super!", sagt Robbie schnell.
„Wer sagt das?" Nadjas Va-
ter sieht überrascht aus.
„Na, Nadja, wer denn
sonst?"
Der Vater sieht Nadja an:

---

17  fleißig sein: viel arbeiten
18  lächeln: ein bisschen lachen
19  flüstern: sehr leise sprechen

„Ach so! Es war also doch ganz okay. Aber zu mir sagst du immer, alles ist doof. Ich verstehe das nicht."

„Wild Thing!" Robbies Handy klingelt, er bekommt eine SMS.
„Das passt ja super zu dir, du Gitarren-Fan!" Nadjas Papa findet den Song genau so super wie Robbie.
„Tschüss, wir müssen jetzt gehen, Papa! Paul und Kolja warten schon auf uns."
„Tschüss Robbie, und viel Spaß dann mit der Stratocaster."
„Danke, tschüss!"

Robbie und Nadja gehen zur Pizzeria. Nadja ist glücklich.
„Mann, das war super, Robbie. Weißt du, Papa ist zuerst immer so sauer, aber nach ein paar Tagen ist er wieder ganz okay. Ich darf sicher zum Camping am See mitkommen. Ich freue mich so."

# 6

## Wieder (fast) alle da

10

„Da seid ihr ja endlich!"

Paul und Kolja warten schon eine halbe Stunde, ihre Cola ist schon fast aus.

„Ich habe so einen Hunger!"

„Ist ja schon gut, Paul. Willst du nicht erst mal Hallo sagen?"

Kolja grüßt Nadja und Robbie, Paul murmelt[20] nur etwas.

„Waren deine Ferien bei den Großeltern nicht schön?", fragt Nadja, „Was ist denn los?"

„Gar nichts! Ich habe einfach Hunger!"

„Und die Ferien?"

„Ich kann jetzt reiten!"

„Auf einer Kuh?"

„Sei nicht so blöd, Robbie", sagt Nadja.

„Blödmann! Du kannst ja nicht einmal eine Kuh und ein Pferd unterscheiden[21]. Ich kann jetzt richtig reiten. Und du nicht!"

„Ist ja schon gut, Paul."

Da kommt auch endlich die Pizza.
Alle essen. Lecker!

„Schaut mal her, ich habe diese Postkarte bekommen."

Nadja holt eine Karte aus ihrer Tasche und zeigt sie den anderen.

Paul sieht die Karte genau an: „Ich habe auch eine bekommen. Die ist von Pia."

---

20  murmeln: leise, nicht klar sprechen; man versteht Paul nur schwer
21  unterscheiden: zwei Dinge sind nicht gleich

Nadja Schmidt
Zickleingasse 11
68618 Glücksdorf
Germania

Ciao bella Nadja!
Rom ist wahnsin
ganz, ganz viele schön
Mein Papa macht imm
Papa war am Meer. Shop
sind super. Es gr

„Ach ja? Bist du sicher?", fragt Kolja.

„Na klar, die Postkarte ist von Pia", sagt Nadja. „Ich kenne doch ihre Schrift und Pia ist in Rom."

Nadja steckt die Karte wieder in die Tasche.

„Genau", ergänzt Paul, „und bei mir steht ihr Name drauf … naja, also eigentlich nur ‚a'. Und da steht auch was von Plato."

„Ach so, und ich habe das Pi!", sagt Kolja.

„Pizza und Pia! Dann kann Paul auch wieder lachen."

„Robbie, du musst doch nicht immer …"

Paul unterbricht Nadja: „Robbie hat keine Postkarte und deshalb ist er sauer."

Robbie lacht: „Ich und sauer? Nee!"

Da hat Nadja eine Idee.

● Wisst ihr was? Morgen sehen wir uns im Schwimmbad und
wir nehmen alle unsere Postkarten mit. Du kommst doch
auch, Paul, oder?

○ Ja, und dann können wir die Karte von Pia richtig lesen.

● Wann seid ihr dort?

○ Ab elf Uhr oder um zwölf.

■ Und ich nehme einen Volleyball mit. Ich bin jetzt richtig gut!
Nach dem Training am Bodensee.

○ Echt? Erzähl!

■ Morgen dann, morgen.

„Ihr habt es gut …"
Jetzt ist Robbie wirklich ein bisschen sauer.

11

Kolja Wagner
Kiewer Weg 3
68618 Glücksdorf
Germania

Paul Kunze
Viktorstraße 4
68607 Großdorf
Germania

Lieber Kolja!

nig schön. Ich liebe
e Sachen. Aber es ist a
er gleich schlapp. Heute w
pen!!! Sieben Stunden! I
üßt euch ♥lich Pi a

Caro Paolo!

die Stadt. Es gibt
uch ziemlich heiß.
aren Mama und ich allein,
ch hoffe, eure Ferien

P.S.: Plato fehlt mir sehr.

# 7

## Pia ist zurück

Pia ist wieder zu Hause. Endlich! Plato war zwei Wochen bei Freunden. Rom im Sommer, das ist nichts für einen Hund. Zu Hause holt Pia sofort Plato ab und geht mit ihm spazieren. Das Handy ist auch dabei …

> Wann sehen wir uns? Ich muss dir so viel erzählen. Rom war supersuper! Aber ich bin auch so glücklich, ich habe Plato wieder. Wann hast du Zeit? <3 LG Pia

Ein paar Stunden später. Nadja und Pia reden und reden.

● Ach Nadja, bald ist doch unser Campingwochenende. Wohin fahren wir denn?

○ Ja, da hatten wir schon eine Idee, vor ein paar Tagen im Schwimmbad.

● Wer wir?

○ Kolja, Paul und ich. Robbie arbeitet ja noch im Super-markt.

● Und?

○ Wir fahren an einen See.

● An welchen?

○ Ich weiß den Namen nicht mehr. Aber Kolja weiß ihn, er war schon dort.

Zu Hause ruft Pia gleich bei Kolja an.

Das Camping ist also am Kuchelsee. Das weiß Pia jetzt. Aber Kolja war so komisch[22]. Paul kann ihr sicher helfen. Sie schickt ihm gleich eine SMS.

Pia lacht.

---

22 komisch: anders, nicht wie immer

# 8

# Die Gitarre

15  Robbie arbeitet nur noch zwei Tage, dann ist die Zeit im Supermarkt vorbei.

„Endlich", denkt er, „das mache ich nie wieder."

Aber er ist glücklich. Er kann endlich seine Gitarre kaufen, er will
seine Stratocaster haben.

Im Musikgeschäft wartet sie auf ihn! Er war schon dort. Noch
zwei Tage. Dann bekommt er auch sein Geld! Und dann …

Nach der Arbeit surft Robbie im Internet. Er will noch mal „seine"
Gitarre sehen. Aber was ist das?

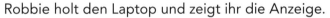

**Instrumentenmesse in Frankfurt
19.–21. August**
Sonderausstellung E-Gitarren,
alle Modelle von Fender und Gibson
mit Workshops und Konzerten
**Verkauf von Instrumenten**[23] **zu Sonderpreisen,
Rabatte bis 50 %**

Am Abend ist Nadja bei Robbie. Sie kochen Spaghetti und essen.

● Duuuuuuu, Nadja, ich muss dir was sagen.

○ Was gibt's denn?

● Ich kann nicht mit zum Campingwochenende
kommen.

○ Was? Warum nicht?

● Sieh mal hier!

Robbie holt den Laptop und zeigt ihr die Anzeige.

● Da muss ich hin! Da kann ich meine Gitarre billig kaufen.

○ Aber Robbie, ich freue mich doch so auf das Wochenende
mit dir am Kuchelsee.

● Ja, ich doch auch. Aber Nadja, die Instrumentenmesse ist
nur einmal im Jahr. Das musst du verstehen. Und in diesem
Jahr sind E-Gitarren besonders billig! Ich muss
einfach …

○ Ja, ja. Und ich muss immer alles verstehen.
Das ist einfach unfair!

● Wir können doch später mal campen gehen …

○ Pfffff.

Nadja ist sauer – und traurig. Aber sie weiß, Robbie kommt nicht
mit. Sie kennt ihren Robbie. Ohne Musik kann er nicht leben.

---

23  das (Musik)Instrument: Gitarre, Klavier …

# 9
# Das Wochenende

„Was? Das passt doch nicht in unser Auto!"
Nadjas Vater sieht den Berg von Gepäck.

der Grill
das Zelt
die Taschenlampe
die Isomatte
der Schlafsack
die Tasche
der Kocher
der Rucksack
der Waschbeutel

„Ihr wisst aber schon, ich kann nicht bis zum See fahren. Vom Parkplatz[24] müsst ihr zu Fuß gehen."
„Ja, Papa, aber vielleicht kannst du uns helfen … bitte."
„Nee, nee, nee, wir machen das schon." Kolja sieht Paul an.
„Stimmt's?"
„Ja, sicher!"

---

24 der Parkplatz: Dort können Autos stehen.

28

Das Auto ist voll.

„Jetzt brauchen wir nur noch Platz für den Hund. Dann können wir fahren."

Nach einer halben Stunde sind sie am Parkplatz.

Kolja und Paul packen alles in ihre Rucksäcke. Es ist heiß, sehr heiß.

„Das ist ja fast wie in Rom."

„Pia, du und dein Rom", lacht Nadja.

Die Rucksäcke von Kolja und Paul sind schwer, sehr schwer. Und Kolja trägt auch noch den Grill.

# 10

# Am See, der erste Tag

Endlich sind die vier am See. Sie finden einen Platz für die Zelte.
„Mädels, ihr könnt schon mal schwimmen gehen, wir stellen die Zelte auf. Das geht ratzfatz[25], wir kommen auch gleich."

„Wo sind denn die beiden?", fragt Pia.
Sie und Nadja sind schon fast eine Stunde am Wasser.
„Das geht doch schnell, es sind ja nur zwei kleine Zelte."
„Ich weiß auch nicht … Gehen wir zurück?"
Pia ruft Plato. Er ist im Wasser und platscht[26] herum.

„Nein!", ruft Nadja. Plato schüttelt sich direkt neben ihr und macht Nadja nass.

---

25  ratzfatz: sehr schnell
26  platschen: im Wasser spielen

Da kommen endlich auch die Jungs an den See. Alle haben richtig Spaß: schwimmen, Ball spielen, in der Sonne liegen, quatschen[27].

„Wann essen wir denn? Ich habe Hunger."
„Oje, jetzt müssen wir schnell etwas essen. Paul hat Hunger. Da ist seine gute Laune sofort weg!"
„Ist doch gar nicht wahr", ruft Paul. „Aber ich mache schon mal ein Feuer im Grill. Dann können wir unsere Würstchen grillen."

Es ist Abend. Das Essen schmeckt so gut. Dann sitzen sie um das Feuer im Grill, erzählen von den Ferien und sind glücklich. Die Nacht ist klar, keine Wolken am Himmel.

Wenig später schlafen alle und Plato schnarcht vor Pias Zelt.

---

27  quatschen: sprechen, reden

# 11

## Am See, der zweite Tag

Plato weckt Pia schon früh. Er hat Hunger.
„Ahhh, ich will noch schlafen, ich will nicht aufstehen."
Aber Pia muss raus aus dem Schlafsack. Sie gibt Plato sein Futter.
„Dann kann ich gleich auch Frühstück für alle machen", denkt sie.

Das Wetter ist schön, die Sonne scheint, der
Tag ist wunderbar. Die Freunde haben viel
Spaß. Sie schwimmen, hören Musik und
liegen in der Sonne. Am Abend grillen sie
wieder. Würstchen, lecker!

„Warum beginnt in einer Woche wieder die Schule?" Paul hat
keine Lust, aber nicht nur er.
„So doof ist die Schule auch nicht", denkt Pia. Sie freut sich sogar
ein bisschen, aber das sagt sie natürlich nicht laut.
„Ich gebe Plato noch ein paar extra Würstchen. Dann kann ich
morgen auch lange schlafen", sagt Pia.
„Plato, du musst Pia wecken! Dann kann sie wieder Frühstück
für uns machen." Kolja findet seine Idee ganz toll.
„Ja, genau. Für mich bitte Brötchen, frisch vom Bäcker! Und
Orangensaft, frisch!"
„Und ich möchte morgen ein Ei. Und Kaffee."
Und Nadja möchte einen Obstsalat.
„He, geht's noch? Ich schlafe morgen lange und ihr macht das
Frühstück, klar?"

Sie quatschen noch ein bisschen weiter, aber Pia ist müde und so liegen bald alle in ihren Schlafsäcken und schlafen.

„Krawumm!"

„Was war das?"
Regen fällt auf die Zelte. Plötzlich wird es hell[28]. Es blitzt, gleich darauf donnert es laut: „Krawummm!"
Ein Gewitter, dazu der Wind. Das Zelt wackelt. Es ist unheimlich[29].

„Du, Pia, ich glaube, ich hab' Angst."
„Es ist alles okay, Nadja. Das ist gleich vorbei[30]." Pia spricht ganz ruhig.

---

28  hell: nicht dunkel (Am Tag ist es hell. In der Nacht ist dunkel.)
29  Es ist unheimlich: Es macht Angst.
30  Das ist gleich vorbei: Es dauert nicht lange.

Ein paar Minuten später.

„Pia, ich hab' wirklich Angst."

Nadja hat Tränen in den Augen.

„Du bist nicht allein, Nadja. Keine Angst, das geht schnell vorbei!"

Aber das Gewitter geht nicht schnell vorbei. Es blitzt immer mehr und es donnert laut, sehr laut. Auch die Jungs schlafen nicht mehr.

„Keine Angst, es dauert nicht mehr lange", sagt Kolja. Es geht ihm nicht gut.

„In Schöndorf, da war auch ein Gewitter. Der Donner war sooo laut, die Nacht war hell wie der Tag. Voll cool!", erzählt Paul.

„Aber da warst du nicht im Zelt! Ich glaube, das Zelt fliegt weg. Der Wind …" Mehr versteht Paul nicht mehr.

„Krawummm!"

„Es ist so unheimlich! Ich will weg!"

Nadja nimmt ihr Handy und ruft ihren Papa an.

- ● Papa, bitte hol mich ab! Aber ganz schnell! Ich will nicht mehr bleiben! Das Gewitter ist so schrecklich[31].
- ○ Nadja, keine Angst! Das geht vorbei. Und du bist ja nicht allein.
- ● Nein, ich will weg. Es ist schrecklich. Bitte, hol mich ab, ich hab' Angst.
- ○ Nadja, warte noch ein paar Minuten, es ist …
- ● Neiiin, Papa, bitteeee!!
- ○ Na gut, ich komme.

„Ich laufe zum Parkplatz, Papa ist bald da."

„Nadja, wir finden doch den Weg nicht, es ist dunkel", sagt Kolja.

„Na und? Ich will weg! Ich mache das nicht mehr mit."

---

31  Es ist schrecklich: Das ist sehr schlecht, es macht Angst.

Nadja läuft los.

„Warte, Nadja, ich komme mit. Plato findet den Weg!"

„Pia, du bist so …"

Mehr hört Pia nicht. Der nächste Donner: „Krawumm!!"

„Aber wir können doch nicht einfach weggehen und alles hier-
lassen." Kolja will die Sachen packen.

„Kein Problem! Geht zum Parkplatz, ich bleibe hier!" Paul ist
ganz ruhig und cool. „Warte noch, Pia, ich gebe dir meine
Taschenlampe."

Paul holt die Lampe aus dem Zelt.

„Aber morgen könnt ihr mich dann schon abholen, bitte."

Das hören sie gar nicht mehr. Plato läuft schon los, Nadja, Pia
und Kolja hinter ihm her.

# 12

## Was war denn da los?

Robbie war den ganzen Samstag auf der Instrumentenmesse in Frankfurt. Erst nachts um elf Uhr war er zu Hause.
Er ist einfach nur happy, er hat seine Gitarre.

„Wild Thing." Robbies Handy rockt. Eine SMS kommt. Aber Robbie schläft gut, er hört das Handy nicht.
„Wild Thing." Noch eine SMS.
„Wild Thing." Die dritte SMS.

Sonntagmorgen. Robbie hat gut geschlafen. Er liest seine SMS.

Bin fix und fertig![32] Riesengewitter in der Nacht, die Zelte waren total nass. Hatte sooo Angst! Wir sind noch in der Nacht zum Parkplatz. Papa war mit dem Auto dort. Ich bin heute total k.o. hdgl

hi! voll krass[33] gestern!!! das war ein gewitter in der nacht. ich hatte auch ein bisschen angst! aber zum glück war nadjas paps dann da. und plato! biba

Hallo! Super Nacht!!! lol Ein Riesengewitter! Die anderen hatten wahnsinnig Angst. Alles war nass. Sie sind nach Hause, ich bin allein am See. GG!

Was war denn da los?
Robbie ruft Nadja an.

---

32  Ich bin fix und fertig: Es geht mir schlecht.
33  Das war voll krass: Das war ganz besonders.

# 13

## Nach dem Gewitter

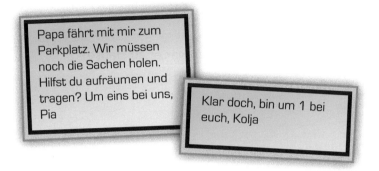

Papa fährt mit mir zum Parkplatz. Wir müssen noch die Sachen holen. Hilfst du aufräumen und tragen? Um eins bei uns, Pia

Klar doch, bin um 1 bei euch, Kolja

Nach der SMS telefoniert Pia noch schnell mit Nadja:

- Pia, das war soo lieb von dir gestern. Danke. Den Parkplatz ohne dich finden … Unmöglich!
- Ist doch klar, Naddi. Du bist doch meine Freundin.
- Wann holen wir die Sachen?
- Deshalb rufe ich an. Papa fährt mit Kolja und mir zum See. Du musst aber nicht mitkommen. Wir machen das schon.
- Das ist so lieb. Ich will da nie mehr hin!
- Ich weiß. Wir machen das.

Wuff! Wuff!

37

## KAPITEL 1

3

**1** **Nadja ruft Robbie an. Hör noch einmal. Was sagen die beiden: A oder B? Kreuze an.**

**A**

Nadja findet die Ferien auf Sylt langweilig. Ihr Papa ist deshalb sauer. Nadja möchte mit Robbie und ihren Freunden ein Campingwochenende machen. Aber ihr Papa will das nicht. Robbie muss Nadjas Papa sagen, die Ferien auf Sylt waren schön. Dann kann sie sicher zum Campingwochenende mitfahren.

Nadja findet die Ferien auf Sylt langweilig. Das Wetter ist oft schlecht und ihr Papa ist deshalb sauer. Nadja möchte mit Robbie und ihren Freunden ein Campingwochenende machen. Aber ihr Papa mag ihren Freund Robbie nicht. Deshalb kann Nadja sicher nicht zum Campingwochenende mitfahren.

**B**

**2** **Was weißt du über Nadja und Robbie? Welche Sätze sind richtig? Kreuze an.**

**Robbie**
- ☒ 1. Robbie ist Nadjas Freund.
- ☒ 2. Er arbeitet in den Ferien in einem Supermarkt.
- ☐ 3. Nach der Arbeit macht Robbie Urlaub in Spanien.
- ☒ 4. Robbie muss mit Nadjas Papa sprechen.
- ☒ 5. Robbie, Nadja und ein paar Freunde wollen ein Campingwochenende machen.
- ☐ 6. Robbie macht gern Sport.

Nadja

☒ 7. Nadja ist Robbies Freundin.

☒ 8. Sie macht mit ihrer Familie Urlaub auf Sylt.

☐ 9. Sie fährt in den Ferien auch noch nach Spanien.

☐ 10. Nadja macht gern Sport und trainiert Volleyball.

☐ 11. Nadja macht auch Musik.

☒ 12. Das Wetter auf Sylt ist meistens schlecht. Nadja liegt fast nie in der Sonne.

## Sylt

Insel in der Nordsee, im Bundesland Schleswig-Holstein, an der Grenze zu Dänemark.

Ca. 27.000 Einwohner. Besonders im Sommer machen viele Deutsche Urlaub auf Sylt, jedes Jahr kommen ca. 900.000 Gäste. Das Wetter ist nicht besonders gut. Es gibt oft Wind und Regen und es ist nicht sehr warm.

## KAPITEL 2

5

**3 Kolja und Paul telefonieren. Ordne Koljas Aussagen zu.
Kontrolliere mit der CD.**

1. Hey Kolja. _____C_____
2. Ist schon okay. Und du? Was machst du? _____
3. Ja. Ich lerne es. Ich kann es noch nicht so gut, aber ein bisschen schon. _____
4. Du hast echt keine Ahnung. Ich lerne es einfach so, ohne Kurs und Reitlehrer und so. Macht super viel Spaß. _____
5. Ich geh' gar nicht. Die Pferde gehen! _____
6. Es gibt nicht nur Oma und Opa in Schöndorf. _____

A Ach! Das ist ja ganz neu. Komm, sag schon!

B Ha, ha. Sehr lustig. Mit wem reitest du?

C Hi. Wie geht's in der Großstadt? Ähm, in Schöndorf.

D Ich bin noch zu Hause. In ein paar Tagen fahren wir an den Bodensee. Sag mal: Reiten? Reitest du wirklich?

E Mit wem gehst du reiten?

F Wie? Ist das nicht langweilig, immer im Kreis gehen?

**4  Was weißt du über Paul und seine Ferien? Kreuze an: richtig oder falsch?**

|  | richtig | falsch |
|---|---|---|
| 1. Die Eltern bringen Paul zu Oma und Opa nach Schöndorf. | ☒ | ☐ |
| 2. Die Mutter bleibt auch ein paar Tage auf dem Bauernhof. | ☐ | ☐ |
| 3. Das Essen von Oma schmeckt Paul nicht. | ☐ | ☐ |
| 4. Paul geht mit dem Hund über den Hof. | ☐ | ☐ |
| 5. Pauls Opa hat jetzt auch drei Pferde. | ☐ | ☐ |
| 6. Jana und Marika pflegen die Pferde. | ☐ | ☐ |
| 7. Paul hat ein bisschen Angst vor den Pferden. | ☐ | ☐ |
| 8. Paul muss einen Kurs machen, dann darf er reiten. | ☐ | ☐ |
| 9. Paul erzählt Kolja viel von seinen Ferien. | ☐ | ☐ |

**5  Welche Tiere gibt es auf dem Bauernhof? Was gibt es noch in Schöndorf? Finde acht Wörter und schreib sie mit Artikel.**

AKELBAUERNHOFJOSBAHUHNMELAKUHBISGESCHÄFTA
VIEKAHUNDBELZOHAUSMASIMOKATZEBLISKAKIRCHEFO

_der Bauernhof_ _____ _____

_____ _____ _____

_____ _____

**6  Welches Tier macht auf Deutsch so?**

Ihihhhiiii.

1. _das Pferd_

Mmmuuh, muh.

2. _____

Go go gog.

3. _____

Wuff, wuff.

4. _____

Miau, Miau.

5. _____

## KAPITEL 3

**7   Kolja ruft Lea an. Ergänze den Dialog. Kontrolliere dann mit der CD.**

> deinen • E̶n̶d̶l̶i̶c̶h̶ • gleich • gut • heißen • jetzt • meine •
> Musik • ohne • Problem • Stunde • von • wieder

● Hi Kolja! __*Endlich*__ (1) rufst du an! Und? Kann ich wieder

_____ (2) hören?

○ Ja, _____ (3) schon.

● Was war?

○ Ach, nicht viel. Nur ein _____ (4) mit dem Akku.

Und _____ (5) Akku geht gar nichts.

● Super, ich hab' meine Musik _____ (6). Danke.

○ Möchtest du auch noch Musik _____ (7) mir?

Kennst du „Kulturschock"?

● Wie bitte? Wie _____ (8) die? Kultur was?

○ Ist doch egal, die Musik ist _____ (9). Ich spiele sie

dir auf _____ (10) Player. Und _____ (11)

drei Lieblingssongs.

● Au ja, super.

○ Also dann, bis in einer halben _____ (12) beim

Beachplatz.

● Ja, prima. Bis _____ (13). Tschüss.

8 Was passt zusammen? Ordne zu.

1. Auf dem Campingplatz spielt Kolja

2. Er gewinnt zusammen mit Greg das Match

3. Kolja ist nicht allein am Bodensee,

4. Am nächsten Tag will Kolja wieder Volleyball spielen,

5. Lea hat schlechte Laune,

6. Kolja findet das Problem

A aber die anderen sind nicht da.

B denn ihr Player ist kaputt.

C mit anderen Jugendlichen Volleyball.

D seine Mutter und seine Geschwister sind auch da.

E und bekommt von Loli und Lea ein Eis. Gratis.

F und gibt Lea seine Lieblingsmusik.

## Der Bodensee – ein See in drei Ländern

Der Bodensee liegt im „Dreiländereck", also in Deutschland (Baden-Württemberg, Bayern), in Österreich (Vorarlberg) und in der Schweiz (St. Gallen, Thurgau, Schaffhausen).
Er ist 536 km² groß und deshalb der größte See in Deutschland. Man nimmt aus dem Bodensee Trinkwasser für 4,5 Millionen Menschen.
Wichtige Städte am Bodensee sind Konstanz, Radolfzell, Meersburg, Friedrichshafen, Bregenz, Rohrschach, Romanshorn und die Insel Lindau.
Urlaub am Bodensee ist sehr beliebt. Rund um den Bodensee wachsen Obst, Gemüse und Wein besonders gut.

## KAPITEL 4

**9 Pias Familie in Rom. Wer sagt oder macht das? Ergänze *Pia*, *Mama* oder *Papa*.**

1. ___*Papa*___ sagt, Rom im August ist total verrückt.

2. _____ macht es total Spaß, sie findet alles toll.

3. Am nächsten Tag möchte _____ ans Meer fahren.

4. _____ und ihre _____ fahren nicht ans Meer, sie gehen shoppen.

5. _____ findet, das Meer sieht überall gleich aus.

6. Alle essen ein Eis und _____ bezahlt.

7. Am Abend schreibt _____ Postkarten an ihre Freunde.

## KAPITEL 5

**10 Robbie holt Nadja ab. Kreuze an: richtig oder falsch?**

|  | richtig | falsch |
|---|---|---|
| 1. Robbie arbeitet noch eine Woche lang im Supermarkt. | ☒ | ☐ |
| 2. Er will mit dem Geld eine super Gitarre kaufen. | ☐ | ☐ |
| 3. Nadjas Papa findet Robbie nicht sympathisch. | ☐ | ☐ |
| 4. Robbie sagt, Nadjas Ferien auf Sylt waren schön. | ☐ | ☐ |
| 5. Nadjas Papa gefällt der Song „Wild Thing" sehr gut. | ☐ | ☐ |
| 6. Robbie und Nadja wollen Pizza machen. | ☐ | ☐ |
| 7. Nadja denkt, sie kann nicht mit zum Camping fahren. | ☐ | ☐ |

## KAPITEL 6

11

**11 Ergänze die Postkarte von Pia. Kontrolliere mit der CD.**

Ciao bella Nadja! Lie _b_ _e_ _r_ (1) Kolja! Caro Paolo!
Rom ist wahnsinnig sch _ _ (2). Ich liebe die St _ _ _ (3).
Es gibt ganz, g _ _ _ (4) viele schöne Sachen. A _ _ _ (5)
es ist auch zie _ _ _ _ _ (6) heiß. Mein Papa macht
i _ _ _ _ (7) gleich schlapp. Heute w _ _ _ _ (8) Mama
und ich all _ _ _ (9), Papa war am M _ _ _ (10).
Shoppen!!! Sieben St _ _ _ _ _ (11)! Ich hoffe, eure
F_ _ _ _ _ (12) sind super.
Es gr _ _ _ (13) euch herzlich Pia
P.S.: Plato fehlt mir s _ _ _ (14)!

**12 Wann passiert was in Kapitel 6? Ordne den Text.**

____ Auch Kolja hat eine Karte bekommen.

____ Jetzt können sie die Postkarten lesen.

____ Kolja, Paul und Nadja treffen sich am nächsten Tag
im Schwimmbad.

____ Nadja zeigt eine Postkarte. Sie versteht nicht alles.

____ Paul hat schlechte Laune, denn er hat Hunger.

____ Paul sagt, die Postkarte ist von Pia und er hat auch eine.

_1_ Paul und Kolja warten schon eine halbe Stunde in der
Pizzeria.

____ Robbie ist nicht nett zu Paul.

____ Und alle bringen ihre Postkarten mit.

## KAPITEL 7

**13 Pia ruft Kolja an. Hör noch einmal. Was passt besser: A oder B? Kreuze an.**

**A**

Kolja sagt, die Freunde fahren an den Kuchelsee.
Aber er weiß nicht, wann sie fahren.

Kolja sagt, die Freunde fahren an den Kuchelsee.
Aber er will Pia nicht sagen, wann sie fahren.

**B**

**14 Wer sagt das zu Pia? Ordne zu.**

## KAPITEL 8

### 15 Welche Sätze sind richtig? Kreuze an. Wie heißt das Lösungswort?

| A | In Frankfurt will Robbie eine Gitarre kaufen.

| E | Robbie will nächstes Jahr wieder im Supermarkt arbeiten.

| F | Robbie findet in einer Zeitung eine Information zur Instrumentenmesse.

| O | Robbie kommt nicht mit zum Camping.

| P | Nadja und Robbie gehen am Abend Spaghetti essen.

| R | Nadja ist sauer und traurig.

| S | In Frankfurt gibt es eine Instrumentenmesse.

| T | Nur noch zwei Tage, dann ist Robbies Job vorbei.

| T | Robbie war auch schon in einem Musikgeschäft.

| W | Nadja möchte nie wieder mit Robbie campen gehen.

Lösungswort: _ _ _ _ _ _ _

### Messe Frankfurt

Die Messe in Frankfurt ist sehr bekannt. Jedes Jahr kommen deshalb über 2 Millionen Menschen nach Frankfurt. Die Firma Messe Frankfurt GmbH organisiert ca. 100 Messen im Jahr, 63 auch in anderen Ländern. Die Frankfurter Musikmesse und die Buchmesse sind die größten Messen für Musikinstrumente und Bücher auf der Welt. Es gibt aber noch viele andere Messen, zum Beispiel für Autos, Flugzeuge, E-Mails, Papier, Weihnachten usw.

## KAPITEL 9

**16 Was nehmen die Freunde zum Campen mit? Finde neun Wörter. Schreib sie mit Artikel.**

| A | G | R | U | C | K | S | A | C | K | D | F | N | I | T |
|---|---|---|---|---|---|---|---|---|---|---|---|---|---|---|
| W | R | T | U | S | C | H | L | A | F | S | A | C | K | A |
| S | I | W | A | S | C | H | B | E | U | T | E | L | K | S |
| Z | L | U | T | N | E | N | G | S | M | E | I | K | A | C |
| E | L | K | O | C | H | E | R | S | K | M | N | A | T | H |
| L | J | E | K | I | L | A | I | S | O | M | A | T | T | E |
| T | A | S | C | H | E | N | L | A | M | P | E | K | E | K |

Rucksack ✓    Grill ✓
Schlafsack ✓    Tasche ✓
ISOMATTE ✓    Kocher ✓
Taschenlampe ✓
Waschbeutel ✓
Zelt ✓

## KAPITEL 10

**17 Was machen die Freunde am See? Markiere.**

Ball spielen

schwimmen

Würstchen grillen     in der Sonne liegen

einen Film ansehen     Plato Futter geben

quatschen     um das Feuer sitzen     Bücher lesen

die Zelte aufstellen

Musik hören     mit dem Handy spielen

von den Ferien erzählen

## KAPITEL 11

**18 Was wünschen sich die Freunde zum Frühstück? Notiere.**

_Brötchen, Orangensaft, Ei,_
_Kaffe, Obsalat_

**19 Da stimmt was nicht. Korrigiere die Fehler wie im Beispiel.**

1. Es blitzt und gleich darauf ~~regnet~~ es. _____donnert_____
2. Das Zelt wackelt. Es ist ~~lustig~~. _____unheimlich_____
3. Nadja ruft mit dem Handy ihre ~~Mutter~~ an. _____ihren papa_____
4. Pia kommt mit, sie findet den ~~Weg~~. _____Plato_____
5. Paul bleibt sehr ~~nervös~~ in seinem Zelt. _____ganz ruhig und cool._____
6. Paul gibt ~~Nadja~~ seine Taschenlampe. _____Pia_____

**20 Von wem ist welche SMS? Notiere die Namen.**

1. Die SMS ist von:

_____

> Bin fix und fertig! Riesengewitter in der Nacht, die Zelte waren total nass. Hatte sooo Angst! Wir sind noch in der Nacht zum Parkplatz. Papa war mit dem Auto dort. Ich bin heute total k.o. hdgl

2. Die SMS ist von:

_____

> hi! voll krass gestern!!! das war ein gewitter in der nacht. ich hatte auch ein bisschen angst! aber zum glück war nadjas paps dann da. und plato! biba

3. Die SMS ist von:

_____

> Hallo! Super Nacht!!! lol Ein Riesengewitter! Die anderen hatten wahnsinnig Angst. Alles war nass. Sie sind nach Hause, ich bin allein am See. GG!

20

**21 Robbie ruft Nadja an. Hör noch einmal. Ergänze den Dialog.**

Auto • bin • cool • Gewitter • froh • Gestern • hatte • ist
Jungs • kommst • ruhig • See • ~~war~~ • was

● Hej Naddi, was __*war*_____ (1) denn bei euch los?

○ Du glaubst es nicht! _____ (2) Nacht, schrecklich.

● Ja, _____ (3) war denn?

○ Der Tag war so schön und dann in der Nacht … das

_____ (4). Schrecklich. Ich _____ (5) total

fertig.

● Jetzt mal langsam. Ganz _____ (6).

○ In der Nacht war ein Gewitter. Ich _____ (7)

so Angst. Und dann war Papa da, also nicht beim

_____ (8), aber am Parkplatz. Ich war ja so

_____ (9). Das war ganz lieb von Papa.

● Und Pia? Und die _____ (10)?

○ Pia ist mit zum _____ (11) und Kolja auch.

● Häh? Und was _____ (12) mit Paul?

○ Der ist noch am See. Er war ganz _____ (13). Echt.

Wann _____ (14) du zurück? Hast du deine Dings,

die Stratodings, deine Gitarre?

**22** **Robbie schreibt eine SMS über seinen Tag in Frankfurt.**
**Welche SMS ist richtig: A oder B?**

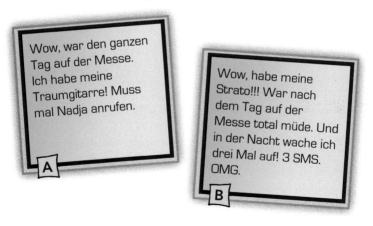

Wow, war den ganzen Tag auf der Messe. Ich habe meine Traumgitarre! Muss mal Nadja anrufen.

**A**

Wow, habe meine Strato!!! War nach dem Tag auf der Messe total müde. Und in der Nacht wache ich drei Mal auf! 3 SMS. OMG.

**B**

# LÖSUNGEN

## KAPITEL 1
1 Richtig: A
2 Richtig: 1, 2, 4, 5, 7, 8, 12

## KAPITEL 2
3 1C, 2D, 3F, 4E, 5B, 6A
4 1r, 2f, 3f, 4r, 5f, 6r, 7r, 8f, 9f
5 der Bauernhof, das Huhn, die Kuh, das Geschäft, der Hund, das Haus, die Katze, die Kirche
6 1. das Pferd, 2. die Kuh, 3. das Huhn, 4. der Hund, 5. die Katze

## KAPITEL 3
7 2. Musik, 3. jetzt, 4. Problem, 5. ohne, 6. wieder, 7. von, 8. heißen, 9. gut, 10. deinen, 11. meine, 12. Stunde, 13. gleich
8 1C, 2E, 3D, 4A, 5B, 6F

## KAPITEL 4
9 2. Pia, 3. Papa, 4. Pia, Mama; 5. Pia, 6. Papa, 7. Pia

## KAPITEL 5
10 1r, 2r, 3f, 4r, 5r, 6f, 7f

## KAPITEL 6
11 2. schön, 3. Stadt, 4. ganz, 5. Aber, 6. ziemlich, 7. immer, 8. waren, 9. allein, 10. Meer, 11. Stunden, 12. Ferien, 13. grüßt, 14. sehr
12 6 Auch Kolja hat eine Karte bekommen.
   9 Jetzt können sie die Postkarten lesen.
   7 Kolja, Paul und Nadja treffen sich am nächsten Tag im Schwimmbad.
   4 Nadja zeigt eine Postkarte. Sie versteht nicht alles.
   2 Paul hat schlechte Laune, denn er hat Hunger.
   5 Paul sagt, die Postkarte ist von Pia und er hat auch eine.
   1 Paul und Kolja warten schon eine halbe Stunde in der Pizzeria.
   3 Robbie ist nicht nett zu Paul.
   8 Und alle bringen ihre Postkarten mit.

## KAPITEL 7
13 Richtig: B
14 Nadja: Ja, da hatten wir schon eine Idee. Wir fahren an einen See.
   Kolja: Der See heißt Kuchelsee. Da kann man prima campen.
   Paul: In meinem Kalender steht 19. bis 21. August. Danke für die Karte.

## KAPITEL 8

**15** Richtig: A, O, R, S, T, T
Lösungswort: Strato

## KAPITEL 9

**16**

| A | G | R | U | C | K | S | A | C | K | D | F | N | I | T |
|---|---|---|---|---|---|---|---|---|---|---|---|---|---|---|
| W | R | T | U | S | C | H | L | A | F | S | A | C | K | A |
| S | I | W | A | S | C | H | B | E | U | T | E | L | K | S |
| Z | L | U | T | N | E | N | G | S | M | E | I | K | A | C |
| E | L | K | O | C | H | E | R | S | K | M | N | A | T | H |
| L | J | E | K | I | L | A | I | S | O | M | A | T | T | E |
| T | A | S | C | H | E | N | L | A | M | P | E | K | E | K |

der Rucksack, der Grill, die Tasche, der Schlafsack, der Waschbeutel,
das Zelt, der Kocher, die Isomatte, die Taschenlampe

## KAPITEL 10

**17** Richtig: Ball spielen, die Zelte aufstellen, in der Sonne liegen, quatschen,
schwimmen, um das Feuer sitzen, von den Ferien erzählen, Würstchen grillen

## KAPITEL 11

**18** Brötchen, Orangensaft, Ei, Kaffee, Obstsalat
**19** 2. unheimlich, 3. ihren Papa/Vater, 4. Plato, 5. ganz ruhig und cool, 6. Pia

## KAPITEL 12

**20** 1. Nadja, 2. Pia, 3. Paul
**21** 2. Gestern, 3. was, 4. Gewitter, 5. bin, 6. ruhig, 7. hatte, 8. See, 9. froh,
10. Jungs, 11. Auto, 12. ist, 13. cool, 14. kommst
**22** Richtig: A

# TRANSKRIPTE

● Ja, ich weiß, es tut mir echt leid für dich, Robbie. Aber es ist so: Papa sagt, Ferien auf Sylt sind schön, aber ich finde es hier total langweilig. Deshalb sagt er, ich muss ja nicht mitfahren, ich kann auch zu Hause bleiben. Und er findet, ich darf nicht zum Campingwochenende mit euch am See mitkommen. ‚Das ist ja dann auch langweilig', sagt er. ‚Dann kannst du auch gleich zu Hause bleiben.' Aber ich freu mich doch so. Ich will unbedingt mitfahren!!!

○ Ja, ist ja schon gut, Naddi. Und ich erzähle deinem Papa, deine Ferien waren gut und schön. Und es gefällt dir. Stimmt's?

● Ja, genau, Robbie. Das sagst du Papa. Und ein paar Tage später ist alles wieder gut und wir können zum Camping gehen. Ich freu' mich doch so.

○ Ja, ja, ich mach' das schon. Ich hab' auch schon eine Idee. Übrigens, das Foto! Da ist es ja schön und warm, mit Sonne.

● Ja, ja, ein paar Stunden Sonne gibt es schon manchmal, aber nicht oft. Ich möchte doch immer Sonne wie in Spanien …

● Hey Kolja.

○ Hi. Wie geht's in der Großstadt? Ähm, in Schöndorf.

● Ist schon okay. Und du? Was machst du?

○ Ich bin noch zu Hause. In ein paar Tagen fahren wir an den Bodensee. Sag mal: Reiten? Reitest du wirklich?

● Ja. Ich lerne es. Ich kann es noch nicht so gut, aber ein bisschen schon.

○ Wie? Ist das nicht langweilig, immer im Kreis gehen?

● Du hast echt keine Ahnung. Ich lerne es einfach so, ohne Kurs und Reitlehrer und so. Macht super viel Spaß.

○ Mit wem gehst du reiten?

● Ich geh' gar nicht. Die Pferde gehen!

○ Ha, ha. Sehr lustig. Mit wem reitest du?

● Es gibt nicht nur Oma und Opa in Schöndorf.

○ Ach! Das ist ja ganz neu. Komm, sag schon!

● Hi Kolja! Endlich rufst du an! Und? Kann ich wieder Musik hören?

○ Ja, jetzt schon.

● Was war?

○ Ach, nicht viel. Nur ein Problem mit dem Akku. Und ohne Akku geht gar nichts.

● Super, ich hab' meine Musik wieder. Danke.

○ Möchtest du auch noch Musik von mir? Kennst du „Kulturschock"?

● Wie bitte? Wie heißen die? Kultur was?
○ Ist doch egal, die Musik ist gut. Ich spiele sie dir auf deinen Player. Und meine drei Lieblingssongs.
● Au ja, super.
○ Also dann, bis in einer halben Stunde beim Beachplatz.
● Ja, prima. Bis gleich. Tschühüss.

**11**

● Zeigt mal eure Karten. Was schreibt Pia?
○ Meine ist ganz rechts. Da geht es nicht weiter.
■ Und meine Karte ist in der Mitte.
● Ja, so stimmt's. ‚Tschi-a-o bella Nadja.' Warum schreibt sie denn Italienisch?
○ Ciao bella Nadja! Lieber Kolja! Caro Paolo!
Rom ist wahnsinnig schön. Ich liebe die Stadt. Es gibt ganz, ganz viele schöne Sachen. Aber es ist auch ziemlich heiß.
Mein Papa macht immer gleich schlapp. Heute waren Mama und ich allein, Papa war am Meer. Shoppen!!!
■ Oho, Pia geht shoppen in Rom.
○ Shoppen!!! Sieben Stunden! Ich hoffe, die Ferien sind super. Es grüßt euch herzlich Pia.
● Und was steht da noch? ‚P.S.: Plato fehlt mir sehr!' Ach, Pia ohne Plato. Aber sie kommt ja bald wieder.

**13**

● Kolja Wagner.
○ Hi Kolja, hier ist Pia.
● Hej Pia, du bist ja wieder da. Schön!
○ Du, Kolja, bald ist doch unser Campingwochenende. Wohin fahren wir denn?
● An einen See!
○ Das weiß ich! Aber wie heißt er denn, der See?
● Wir fahren an den Kuchelsee, das ist nicht so weit! Und da kann man prima campen!
○ Cool, das ist ja toll! Und wann genau fahren wir?
● Ähm, das weiß ich nicht. Da musst du …
○ Was? Das weißt du nicht? Das glaubst du doch selbst nicht, natürlich weißt du das!
● Nein, leider nicht. Aber Paul weiß es bestimmt.
○ Na gut, dann frag' ich ihn mal. Tschüss Kolja.
● Tschüss.

**20**

● Hej Naddi, was war denn bei euch los?

○ Du glaubst es nicht! Gestern Nacht, schrecklich.

● Ja, was war denn?

○ Der Tag war so schön und dann in der Nacht … das Gewitter. Schrecklich. Ich bin total fertig.

● Jetzt mal langsam. Ganz ruhig.

○ In der Nacht war ein Gewitter. Ich hatte so Angst. Und dann war Papa da, also nicht beim See, aber am Parkplatz. Ich war ja so froh. Das war ganz lieb von Papa.

● Und Pia? Und die Jungs?

○ Pia ist mit zum Auto, und Kolja auch.

● Häh? Und was ist mit Paul?

○ Der ist noch am See. Er war ganz cool. Echt. Wann kommst du zurück? Hast du deine Dings, die Stratodings, deine Gitarre?